Agor y Drws

6 stori i ddysgwyr

Argraffiad cyntaf: 2020

Cynllun y clawr: Sion Ilar

Rhif Llyfr Rhyngwladol: 978 1 800990 234

Dymuna'r cyhoeddwyr gydnabod cymorth ariannol Cyngor Llyfrau Cymru yn ogystal â chydweithrediad Eisteddfod Genedlaethol Cymru a'r Ganolfan Dysgu Cymraeg Genedlaethol.

Cyhoeddwyd ac argraffwyd yng Nghymru
ar bapur o goedwigoedd cynaliadwy gan
Y Lolfa Cyf., Talybont, Ceredigion SY24 5HE
e-bost ylolfa@ylolfa.com
gwefan www.ylolfa.com
ffôn 01970 832 304
ffacs 01970 832 782

Cynnwys

1

PEN-BLWYDD MAWR

Dydd Mercher, 5 Mai. Dw i'n 50 heddiw. Pum deg – ofnadwy! Dw i'n hen! A dw i ddim yn ffit...

Reit! Dw i'n ffonio'r ganolfan hamdden.

'Helô. Dw i eisiau bwcio sesiwn yn y **gampfa**, plis. Martin Williams dw i. Dw i'n newydd.'

'Iawn, dych chi'n gallu dod am **asesiad,** Mr Williams? Prynhawn dydd Sadwrn, gyda Jason.'

Asesiad? Help!

★

Dw i'n gyrru i'r gwaith, yn swyddfa Llyfrau Llywelyn, yn Abercastell. Dw i'n gweithio yma ers 1998.

O na! Dyma Karl, y bòs.

'A, Martin. Bore da.'

'Bore da, Karl.'

'Dw i eisiau siarad â ti, Martin. Tri o'r gloch heddiw, plis.'

Karl yw'r rheolwr newydd. Car Audi coch, siwt *designer*, desg fawr. Mae Karl eisiau busnes 'modern'.

Mae siart ar y wal nawr: 'PERFFORMIAD STAFF.'

O diar. Pam mae e eisiau siarad â fi?

★

---

campfa – *gym* **asesiad** – *assessment*

Amser cinio dw i'n mynd i'r siop chwaraeon. Dw i'n edrych ar y sgidiau. Treinars gwyn, du, glas, coch...

'Ga i helpu chi?'

'Dw i eisiau dillad i'r gampfa,' dw i'n ateb.

'Iawn. Mae'r siorts a'r festiau yma.'

Siorts a fest?!

'Ga i wisgo trowsus yn y gampfa?'

'Cewch, wrth gwrs.'

Dw i'n trio trowsus a hwdi. **Maint** Mawr. Wedyn maint Mawr Iawn. **Yna** Mawr Iawn Iawn. O diar. Dw i'n edrych fel eliffant!

Dw i'n mynd i siop Asdi wedyn. Dw i'n prynu salad, llysiau, pysgod, wyau, afalau ac orennau. Dim tatws, dim pasta, dim cacen. Dw i'n mynd ar ddeiet!

⋆

Yn y prynhawn dw i'n mynd i swyddfa Karl.

'Pob lwc, Martin!' mae Jenni'n dweud. Jenni yw P.A. Karl.

'A, Martin!' mae Karl yn dweud. 'Dw i eisiau siarad am eich gwaith.'

O diar.

'Beth dych chi'n ei wneud yr wythnos yma?' mae Karl yn gofyn.

'Wel, dw i'n gweithio ar lyfr Cymraeg newydd gan Sali Jones...'

'O, diflas! Dw i ddim yn hoffi llyfrau diflas, Martin. Dw i eisiau *celebs*! Dw i eisiau'r trend mawr newydd! Y *blockbuster* nesa!'

---

maint – *size* **yna** – *then*

'Ond...'

'Ffeindiwch *blockbuster* i fi, Martin!'

Dw i ddim yn hapus. *Celebs*? *Blockbuster*?

Am bump o'r gloch dw i'n mynd adre.

'Nos da, Martin,' meddai Jenni. 'Pen-blwydd hapus!'

'Diolch, Jenni! Nos da.'

★

Yn y tŷ dw i'n yfed gwin coch mawr. Dw i'n bwyta pysgod a salad i swper. Da iawn. Ond yn y nos dw i'n starfo. Dw i'n codi a bwyta tost a jam. Pedwar **darn**. Dim dechrau da i'r deiet!

★

Dydd Sadwrn dw i'n mynd i'r ganolfan hamdden.

'Prynhawn da. Dw i'n cael asesiad, gyda Jason.'

Mae Jason yn Adonis – tal, ffit, smart.

'Braf **cwrdd** â chi, Martin! Reit. Problemau **iechyd**?'

'Dim.'

'Dych chi'n smocio?'

'Nac ydw.'

'Dych chi'n yfed alcohol?'

'Y... nac ydw.' (Wel, dim **llawer**.)

'Dych chi'n bwyta'n **iach**? Llysiau, ffrwythau?'

'O, ydw, wrth gwrs.' (Wel, dw i'n **trio**!)

darn – *piece*	**cwrdd** – *to meet*
iechyd – *health*	**llawer** – *a lot*
iach – *healthy*	**trio** – *to try*

'Reit, eich **pwysau gwaed** nawr, Martin.'

Mae Jason yn pympio'r peiriant pwysau gwaed: BRRRRR! SSSSSSS!

'O diar,' mae e'n dweud.

'Beth?'

'Dych chi'n *stressed*, Martin?'

Stressed? Ydw, dw i'n *stressed* iawn, iawn, nawr!

'Dyn ni'n mynd i'r gampfa. Cerddoriaeth ofnadwy: BWM! BWM! BWM! Dynion fel Arnold Schwarzenegger. Merched **Amasonaidd** mewn Lycra.

'Trïwch y peiriant seiclo, Martin,' mae Jason yn dweud.

Dw i'n **pedlo**… a phedlo… a phedlo.

'Ffiw! Dw i'n dwym!'

Wedyn dw i'n mynd ar y peiriant rhedeg. Dw i wedi blino.

'Ga i stopio nawr?'

'Iawn,' mae Jason yn ateb. 'Gwela i chi fory, Martin. Hwyl!'

Fory? Eto?!

★

Ow! Ww! Dw i ddim yn gallu cerdded yn y bore. Dw i ddim yn mynd i'r gampfa ofnadwy eto!

Dw i'n trio ioga. Mae'r tiwtor fel octopws!

Wedyn dawnsio Zwmba... Help!

Yna dw i'n trio seiclo. Dw i'n woblo fel jeli ar y beic! Mae plant yn y stryd yn **chwerthin**.

pwysau gwaed – *blood pressure*	**Amasonaidd** – *Amazonian*
pedlo – *to pedal*	**chwerthin** – *to laugh*

Na, dim seiclo.

Beth nesa? Dw i'n gwybod: nofio. Dw i'n hoffi nofio. (Wel, dw i'n hoffi nofio yn Sbaen, ar wyliau. A bwyta *paella* mawr wedyn!)

★

Yn Llyfrau Llywelyn dw i'n trio ffeindio *celebs* i Karl. Dw i'n gweithio ar lyfrau newydd, 'trendi'. Maen nhw'n ofnadwy.

Pump o'r gloch, hwrê!

'Nos da, Martin.'

'Nos da, Jenni.'

'Dych chi'n iawn, Martin?'

'Ydw. Wedi blino.'

'A fi.'

'Dych chi'n mynd adre nawr, Jenni?'

'Nac ydw. Dw i'n brysur gyda gwaith i Karl.'

'Ble mae Karl?'

'Mae e'n chwarae golff, gyda **phobl** busnes o America.'

'Hy! Dych chi'n rhedeg y busnes i Karl, Jenni! Ac mae e'n **lordio hi** yn y clwb golff!'

★

Nos Iau dw i'n mynd i'r pwll nofio. Reit, un, dau, tri: SBLASH! Brrr, mae hi'n oer!

---

pobl – *people* **lordio hi** – *to swan about, to lord it*

Dw i'n gweld **menyw** yn y **lôn** nesa. Mae hi'n nofio fel dolffin. (Dw i fel hipo!)

'Shw mae, Martin!'

'O, helô, Jenni!'

'Dych chi'n nofio hefyd, Martin?'

'Wel, dw i'n trio.'

'Da iawn!'

★

Dw i'n mynd i nofio bob nos. Weithiau dw i'n gweld Jenni. 'Dyn ni'n mynd i'r caffi a siarad. Mae Jenni'n grêt.

Un noson mae hi'n gofyn:

'Wyt ti'n hapus yn Llyfrau Llywelyn, Martin?'

'Wel… nac ydw. Dw i ddim yn ffitio i mewn nawr. Dw i ddim eisiau gweithio ar lyfrau *celebs*!'

'Beth wyt ti eisiau ei wneud?'

'Wel, dw i ddim yn siŵr… Ond dw i'n ffansi rhedeg siop lyfrau fach.' Dw i'n chwerthin.

'Bendigedig!' meddai Jenni.

★

Un bore dw i'n ateb y ffôn: 'Bore da, Llyfrau Llywelyn. Martin Williams yn siarad.'

'Helô, Martin. Sali Jones yma. Pam dych chi ddim eisiau fy llyfr newydd nawr?'

---

menyw – *woman* **lôn** – *lane*

O diar! Mae hi'n **ypsét**. Dw i'n hoffi Sali. Ac mae hi'n **awdur** da.

'Sori, Sali...'

Mae Karl yn gwrando. 'Problem, Martin?'

'Mae Sali Jones yn ypsét...'

'Dw i'n rhedeg busnes yma, Martin,' meddai Karl. 'Dim y Samariaid! Ha ha!'

'Dim jôc yw e, Karl!' dw i'n protestio.

Mae Karl eisiau staff fel robotau, dim pobl. Wel, dim robot dw i! Dyn dw i. Dyn pum deg oed, dim bachgen newydd, twp fel Karl! Dw i'n codi.

'Idiot wyt ti, Karl! Llyfrau trendi a *celebs*! Dw i'n gadael!'

Dw i'n cerdded allan o'r swyddfa. Dw i'n dechrau rhedeg. Dw i'n rhedeg a rhedeg. Ieee!

'Martin! Aros!'

'Jenni?!'

'Dw i'n dod gyda ti!'

---

ypsét – *to be upset* **awdur** – *author*

2

AR Y TRÊN

Helô! Rhodri dw i. Dw i'n dod o Lanelli yn wreiddiol ond dw i'n byw yng Nghaerdydd nawr. Rheolwr mewn swyddfa dw i. Dw i'n ddau ddeg wyth oed a dw i'n **sengl**.

Heddiw, dw i'n gweithio yn y swyddfa yn Reading. Dw i ddim yn mynd i Reading bob dydd, **dim ond** bob dydd Llun. Dw i'n mynd ar y trên. Mae gorsaf Caerdydd yn **agos**. Dw i'n cerdded i'r orsaf. Mae hi'n braf heddiw hefyd, felly dw i'n hapus iawn. Dw i ddim yn hoffi cerdded yn y glaw!

Nawr, dw i yn yr orsaf. Dw i ar y platfform prysur. Mae trên Llundain yn dod. Dw i'n mynd ar y trên. Trên prysur – o na! Ond... da iawn, mae **sedd** yma, **wrth** y bwrdd. Dw i eisiau gweithio. Dw i'n hoffi gweithio ar y trên.

Mae dwy **fenyw ifanc** wrth y bwrdd hefyd. Maen nhw'n **gwenu**. Dw i'n gwenu hefyd. Dw i'n eistedd a dw i'n dechrau gweithio.

Mae **potel** ar y bwrdd. Potel o Buck's Fizz. Mae **gwydrau** plastig ar y bwrdd hefyd. Mae'r ddwy ferch yn joio! Dw i'n gweld dau **gês**. Maen nhw'n mynd i rywle.

sengl – *single*	**dim ond** – *only*
agos – *near*	**sedd** – *seat*
wrth – *by*	**menyw** – *woman*
ifanc – *young*	**gwenu** – *to smile*
potel – *bottle*	**gwydr(au)** – *glass(es)*
cês – *suitcase*	

Mae'r ddwy fenyw yn dechrau siarad. Maen nhw'n ffrindiau, ac maen nhw'n siarad Cymraeg, **fel** fi! Dw i'n clywed enwau'r ddwy. Cerys a Megan. Ond dw i ddim yn gwenu. Dw i ddim yn siarad. Dw i ddim yn dweud dim. Dw i'n edrych ar y **sgrin**. Dw i'n gweithio. Wel, dw i'n **trio** gweithio! Ond mae hi'n anodd...

Megan: Beth wnest ti dros y penwythnos, Cerys?

Cerys: O, wnes i ddim **llawer**. Arhosais i yn y tŷ dydd Sadwrn. Coginiodd Meic gyrri i swper nos Sadwrn. Wedyn, aethon ni i'r sinema.

Megan: Neis iawn. Beth weloch chi yn y sinema?

Cerys: Ffilm **antur** newydd – ffilm ofnadwy. Dw i ddim yn lico ffilmiau antur.

Megan: Ond mae Meic yn lico ffilmiau antur.

Mae Megan yn nabod Meic... Ond dw i'n gweithio... wel, dw i'n trio gweithio!

Cerys: Ydy, Megan. Rwyt ti'n nabod Meic. Mae Meic yn lico ffilmiau antur. Ac mae e'n lico **bywyd** diflas, bywyd diflas iawn!

Mae Megan a Cerys yn **chwerthin**. Maen nhw'n yfed Buck's Fizz eto.

Cerys: Beth wnest ti, 'te, Megan? Welaist ti ffrind?

Megan: Naddo. Wnes i ddim byd mawr. Es i i siopa bore dydd Sadwrn ac es i i weld Mam yn y prynhawn.

fel – *like*	**sgrin** – *screen*
trio – *to try*	**llawer** – *lot*
antur – *adventure*	**bywyd** – *life*
chwerthin – *to laugh*	

Cerys: Est ti mas nos Sadwrn?

Megan: Naddo.

Cerys: Pam? Rwyt ti'n **lwcus**, rwyt ti'n sengl. Rwyt ti'n gallu joio. Dw i *ddim* yn gallu joio. Dw i'n mynd i weld ffilmiau antur diflas – gyda Meic!

Mae Cerys a Megan yn chwerthin eto.

Megan: O, wel. Rwyt ti'n hapus gyda Meic.

Cerys: Ydw, ydw. Ond mae e'n ddiflas iawn, weithiau!

Megan: Wel, dw *i* ddim!

Cerys: Nag wyt, Megan! Dw i'n lwcus. Rwyt ti'n ffrind da. Rwyt ti'n dod i Lundain gyda fi!

O, dw i'n deall nawr. I Lundain maen nhw'n mynd. Dw i'n trio gweithio, ond...

Cerys: Dw i'n **edrych ymlaen**. Dw i'n edrych ymlaen yn fawr.

Megan: Gest ti'r tocynnau i *Phantom of the Opera*?

Cerys: Do. 'Dyn nhw ddim yn rhad.

Megan: O, **dim ots**. Dw i eisiau joio.

Maen nhw'n yfed Buck's Fizz eto. Dw i ddim yn edrych ar y botel. Dw i'n edrych ar y sgrin.

Cerys: Sut mae mam?

Megan: Da iawn, diolch. Mae hi ac Anti Sara yn mynd i Mallorca dydd Gwener. Maen nhw'n mynd ar wyliau am wythnos.

---

lwcus – *lucky* **edrych ymlaen** – *to look forward*

dim ots – *doesn't matter*

Cerys: O, braf iawn. Es i a Meic ar wyliau i Mallorca. Aethon ni am wythnos hefyd. Wythnos ofnadwy! Wel, i Meic.

Megan: O? Beth ddigwyddodd?

Cerys: Y noswaith **gyntaf**, bwytodd Meic *paella* i swper. Yfodd e win. Wedyn, chafodd Meic ddim amser da…!

Megan: O, na!

Cerys: Wnaeth e ddim byd yn Mallorca!

Megan: Dim byd? Beth am y traeth? Aethoch chi i'r traeth?

Cerys: Es *i* i'r traeth bob dydd. Es i i nofio yn y môr. Ond wnaeth Meic ddim byd. Arhosodd e yn y gwesty am wythnos a dweud: "Dw i eisiau mynd adre."

Megan: O diar, gwyliau diflas!

Cerys: Diflas iawn… i *Meic*. Ond, a dweud y gwir, gwnes *i* ffrind newydd ar y traeth.

Megan: Ffrind newydd? Pwy, Cerys, pwy?

Mae Cerys yn chwerthin. Mae Megan yn chwerthin. Dw i eisiau chwerthin hefyd. Ond dw i'n edrych ar y sgrin. Dw i'n gweithio, ond mae hi'n anodd…

Cerys: José.

Megan: José?

Cerys: Ie, José. Dyn neis iawn, a…

Megan: A beth?

Cerys: Wel, dyn smart iawn. Mmmm…

Megan: Cerys!

Cerys: Wel, mae Meic yn ddiflas iawn, weithiau!

---

cyntaf – *first*

Maen nhw'n chwerthin eto. Maen nhw'n yfed Buck's Fizz eto!

Cerys: Ces *i* amser da yn Mallorca! Ymlaciais i… gyda José!
Megan: Cerys!
Cerys: A dweud y gwir, mae'r dyn wrth y bwrdd yn edrych fel José.
Megan: Dyn smart iawn.
Cerys: Mmmm. Dyn **perffaith** i ti, Megan.

O, na! Dw i'n edrych ar y sgrin. Dw i ddim yn edrych ar Cerys a Megan. Dw i'n trio gweithio. Ond mae'n anodd iawn! **Gobeithio** dw i ddim yn mynd yn goch!

Megan: W! Dw i eisiau dyn **golygus**. Mae e'n hoffi gweithio. Mae e'n byw yng Nghaerdydd. Handi iawn!
Cerys: Dyw e ddim yn ddiflas, fel Meic, dw i'n siŵr! Mae e'n edrych yn ffit.
Megan: Ffit iawn. Dw i'n hoffi dynion ffit!
Cerys: Perffaith!
Megan: Ydy e'n sengl? Gobeithio! Mae e'n byw yng Nghaerdydd, a dw i'n byw yn Abertawe. 'Dyn ni'n gallu **cwrdd** yng Nghaerdydd bob penwythnos!
Cerys: Perffaith! Www, Megan, rwyt ti'n lwcus iawn! Rwyt ti a'r dyn golygus yn gallu mynd i Lundain. Dych chi'n gallu mynd ar wyliau i Mallorca.
Megan: Dw i eisiau gwybod pwy yw e. Dw i eisiau gofyn.

perffaith – *perfect*	**gobeithio** – *to hope*
golygus – *handsome*	**cwrdd** – *to meet*

O na! 'Dyn ni'n dod i Reading. **Diolch byth!** Dw i'n mynd mas yn Reading. Nawr mae Megan yn siarad â fi!

Megan: *Excuse me, we were just wondering…*

Dw i'n codi o'r sedd. Dw i'n gwenu ar Cerys a Megan, a dw i'n dweud: "Wcl, Rhodri dw i. Braf cwrdd â chi."

Mae Cerys a Megan yn mynd yn goch nawr. Dw i'n cerdded at ddrws y trên. Mae drws y trên yn agor. Dw i'n mynd mas. Diolch byth! Dw i ar y platfform nawr ond dw i'n gallu clywed Cerys a Megan yn chwerthin! Maen nhw'n joio!

---

diolch byth! – *thank goodness!*

3

BOLOGNESE MAM

Dw i'n **nerfus**. Dw i'n **gyffrous**. Pam? Heddiw dw i'n dechrau swydd newydd fel cogydd mewn tŷ bwyta da yn y dref. 'Hwyl fawr!' caffi'r Greasy Spoon a 'Helô!' gegin Y Plas. Dw i eisiau dweud wrth bawb. Dw i'n hapus iawn.

'Pob lwc, Steffan!' mae Mam yn dweud pan dw i'n mynd allan o'r tŷ.

'Diolch, Mam!' Dw i'n rhoi cwtsh i Mam. Mae Mam yn coginio'n dda iawn ac mae hi'n helpu lot. Dw i'n **caru** coginio, diolch i Mam.

'Cofia, Steffan, os wyt ti'n styc, rwyt ti'n gallu gwneud bolognese!'

Mae Mam a fi yn **chwerthin**. Mae bolognese Mam yn **chwedlonol**. OK, dydy e ddim yn fwyd i **sêr ffilm** a chwaraewyr y Bluebirds ond mae e'n fendigedig.

Dw i'n cerdded **i lawr** y stryd. Mae hi'n saith o'r gloch y bore a dw i'n gorfod cyrraedd cegin Y Plas am wyth o'r gloch. Ond dw i eisiau cyrraedd yn gynnar. Dw i'n mynd ar y bws, a dw i'n mwynhau gweld y dref o ffenest y bws. Ond dw i'n nerfus!

O na! Mae problem – mae plismon yn y stryd yn stopio traffig!

nerfus – *nervous*	**cyffrous** – *excited*
caru – *to love*	**chwerthin** – *to laugh*
chwedlonol – *legendary*	**sêr ffilm** – *film stars*
i lawr – *down*	

Pam heddiw? Pam fi? Dw i'n mynd i fod yn hwyr! Ond dw i'n gwybod ble mae'r Plas a dw i'n dechrau rhedeg. Dw i'n gorfod cyrraedd ar amser! Dw i ddim yn gallu gadael Thomas Baptiste, y cogydd enwog o Ffrainc, y bòs, i lawr! Aaaa, drws Y Plas! Dw i'n rhedeg trwy'r drws ac yn **cwympo** yn fflat. Dw i'n edrych **i fyny** ac mae Thomas Baptiste yn edrych yn flin iawn, iawn.

'Rwyt ti un funud a hanner yn hwyr!' mae e'n dweud.

'S-s-s-sori, Thomas!'

Mae Thomas yn cerdded i ffwrdd i'r gegin yn flin.

'**Ar dy draed**! Nawr! Mae lot o waith – torri moron a **pilio** tatws!'

Pilio. Torri. Golchi. Dyna be dw i'n ei wneud trwy'r bore. Mae gen i ddwylo coch fel y tomatos yn y salad. Mae'r gwaith yn ddiflas a dw i wedi blino. Ond dw i'n **meddwl am** eiriau Mam: 'Rwyt ti'n gorfod **gwneud dy orau glas**, a gwenu!' Felly dyna be dw i'n ei wneud. Pilio. Torri. Golchi. Gwenu. Popeth mae Thomas Baptiste yn gofyn, dw i'n nodio ac yn dweud, 'Iawn, *chef*!'

'Steffan!' **Llais** mawr Thomas yn cyfarth. Mae e'n goch ac yn **wyllt**, a dw i'n siŵr bod **stêm** yn dod allan o'i glustiau.

'Problem?' dw i'n gofyn.

'Problem fawr! Dydy'r fan *delivery* ddim yn gallu dod heddiw

---

cwympo – *to fall* | **i fyny** – *up*

ar dy draed – *on your feet* | **pilio** – *to peel*

meddwl am – *to think about*

gwneud dy orau glas – *to do you very best (literally: to do your blue best)*

llais – *voice* | **gwyllt** – *wild*

stêm – *steam*

ac mae *celebs* a phobl bwysig y dref yn y tŷ bwyta'n aros am y bwyd. 'Dyn nhw ddim eisiau bwyta bîns ar dost! Dw i eisiau i ti fynd i siopa. Iawn?' Dw i'n cael **rhestr** siopa **hir** iawn. Yn hir fel y stryd fawr.

Ar ôl siopa dw i wedi blino'n ofnadwy. Mae Thomas mewn hwyliau drwg, wrth gwrs! Mae Thomas yn gweiddi ac yn **rhegi** ac mae'n swnllyd iawn. Ac wedyn dw i'n gweld Thomas yn cicio **popty** y gegin!

'Problem arall?' dw i'n gofyn.

'Problem fawr arall! Dydy'r popty ddim yn gweithio,' mae Thomas yn dweud. Mae e'n edrych yn drist. 'Dim bwyd a dim popty. O, dw i'n mynd!'

Ac mae Thomas yn cerdded allan o'r gegin i'r stryd. Ond **cyn** mynd, mae e'n dweud, 'Steffan! Ti yw'r *chef* nawr. Dw i'n gadael!'

Mae pawb yn edrych. Fi? Steffan Huws yn rhedeg cegin Y Plas?! Dw i'n gwenu ond dw i eisiau **crio**. Yna mae **archebion** yn cyrraedd y gegin. *Oysters*. Risotto **madarch**. Pysgod. Stêc. Beth dw i'n ei wneud? Dw i ddim yn gwybod sut i goginio **bwydlen** Thomas Baptiste, *chef* **gorau**'r wlad. Dw i'n gogydd proffesiynol ers pedair awr! Dw i ddim yn gallu gwneud hyn. Dw i'n gorfod cau'r tŷ bwyta a'r gegin a **siomi** *celebs* y dref.

rhestr – *list*	**hir** – *long*
rhegi – *to swear*	**popty** – *oven*
cyn – *before*	**crio** – *to cry*
archeb(ion) – *order(s)*	**madarch** – *mushrooms*
bwydlen – *menu*	**gorau** – *best*
siomi – *to disappoint*	

Yna dw i'n clywed geiriau Mam eto. 'Cofia, Steffan, os wyt ti'n styc, rwyt ti'n gallu gwneud bolognese!'

Ie! Dyna beth dw i'n ei wneud. Dw i'n siarad â staff y gegin. Dw i fel capten tîm rygbi yn yr ystafell newid cyn gêm Cymru a Lloegr.

'Bolognese, wrth gwrs!'

Dwy awr wedyn.

Mae'r *celebs* yn y tŷ bwyta yn hapus ac mae'r bolognese i gyd wedi gorffen! Mae Steffan, a phawb yn y gegin, wedi gweithio'n galed heddiw ac wedi blino. Bolognese ar y fwydlen eto fory?!

4

TIC TOC

Roedd Elfed Parry yn licio bod ar amser. Roedd o'n **casáu** bod yn hwyr.

Roedd Elfed yn byw mewn tŷ o'r enw 'Tempus Fugit', ac roedd cloc haul mawr yn yr **ardd** fach. Yn 'Tempus Fugit' roedd dau gloc ym mhob **ystafell**: Cloc ar wal y gegin, a chloc ar y **popty**; cloc ar y **silff ben tân** yn y lolfa, a chloc ar y bwrdd bach **ger** y soffa lle roedd Elfed yn eistedd am hanner awr wedi saith bob nos i wylio *Newyddion* ar S4C. Yn yr ystafell wely, roedd **cloc larwm** mawr coch. Hefyd, roedd cloc larwm mawr arall ar y silff ger y ffenest. Roedd dau gloc yn yr ystafell ymolchi hefyd: un mawr dros y sinc, ac un cloc yn y **gawod**!

'Obsesiwn, dyna ydy o, boi!' dwedodd Gareth, ffrind Elfed.

Roedd Gareth ac Elfed yn ffrindiau yn yr ysgol, ond roedd y ddau yn wahanol iawn.

'Dwyt ti ddim yn dallt,' dwedodd Elfed. 'Dwyt ti **byth** yn cyrraedd ar amser.'

Weithiau, roedd Gareth ac Elfed yn **trefnu** cyfarfod yn y dafarn

roedd – *he was*	**casáu** – *to hate*
gardd – *garden*	**ystafell** – *room*
popty – *oven*	**silff ben tân** – *mantlepiece*
ger – *by*	**cloc larwm** – *alarm clock*
cawod – *shower*	**byth** – *never*
trefnu – *to arrange*	

am wyth o'r gloch, ac roedd Gareth yn cyrraedd tua hanner awr wedi wyth, ac yn **poeni** dim!

Ond nos Sadwrn diwethaf, roedd pethau yn ddrwg iawn. Roedd Gareth awr yn hwyr, ac roedd Elfed wedi blino aros. Mi gaeth y ddau **ffrae** a dwedodd Elfed wrth Gareth am **fynd i'r diawl!**

Roedd Elfed yn gweithio mewn swyddfa yn y dref. Mi wnaeth o ddechrau gweithio yno ar ôl gadael yr ysgol, ac roedd o'n hapus iawn yno. Criw bach oedd criw'r swyddfa, ac roedd pawb yn gweithio **wrth yr un ddesg**, wrth yr un cyfrifiadur. Roedd o'n lle braf i weithio, ond **erbyn hyn** roedd Elfed isio mwy.

Fel arfer, roedd Elfed yn cyrraedd y swyddfa am wyth o'r gloch a gadael am bump bob dydd. Roedd o'n licio trefnu ei amser yn dda.

Ond un bore roedd pethau wedi dechrau'n wahanol i Elfed. I ddechrau, mi wnaeth o gysgu'n ofnadwy! Mi gaeth o **freuddwyd** drwg; breuddwyd lle roedd pob cloc yn y byd wedi **troi** yn lwmp o rew.

Felly, roedd popeth yn hwyr: roedd gormod o awyrennau yn yr awyr, gormod o geir ar y lôn, ac roedd y trenau yn **sownd** yn stesion Crewe! Ac roedd Gareth yn y freuddwyd hefyd, yn **chwerthin** a chwerthin!

poeni – *to worry*	**ffrae** – *a quarrel*
mynd i'r diawl! – *to go to hell! (literally: to go to the devil!)*	
wrth yr un ddesg – *at the same desk*	
erbyn hyn – *by now*	**breuddwyd** – *a dream*
troi – *to turn*	**sownd** – *stuck*
chwerthin – *to laugh*	

Pan wnaeth Elfed ddeffro, roedd ei **galon** yn **curo** fel drwm. Ac mi gaeth sioc fawr wrth edrych ar y cloc larwm! Be? Hanner awr wedi saith! Roedd y larwm yn canu am saith, fel arfer, ond roedd o wedi cysgu drwy'r larwm.

'Dw i'n mynd i **golli**'r bws! Dw i'n mynd i gyrraedd y gwaith yn hwyr!' dwedodd yn flin wrth y cloc larwm.

Yna mi wnaeth calon Elfed droi yn lwmp o rew hefyd pan wnaeth o gofio. Heddiw! Am wyth o'r gloch bore 'ma, roedd o'n mynd i gael cyfarfod dros y ffôn efo Sylvia Jenkins, rheolwraig newydd y swyddfa yng Nghaerdydd. Roedd hi isio cael sgwrs bwysig efo Elfed **cyn** i bawb arall yn y swyddfa gyrraedd.

A rŵan roedd y cloc larwm wedi stopio gweithio! Ac roedd o'n hwyr!

Roedd o'n gorfod mynd i'r gwaith heb gael cawod heddiw. Wrth edrych yn y **drych**, roedd o'n edrych fel **bwgan brain**! Aeth i'r ystafell ymolchi, a **molchi** efo dŵr oer. Roedd y cyfarfod ar y ffôn, ddim ar Skype, **diolch byth**!

'Faint o'r gloch ydy hi rŵan?' dwedodd Elfed. Chwarter i wyth! Mam bach!

Roedd bol Elfed yn gwneud sŵn isio bwyd, ond doedd dim amser am baned na brecwast! Fel arfer roedd Elfed yn licio brechdan bacwn ac wy, ac yn mwynhau edrych ar y papur newydd amser brecwast. Dim heddiw! Roedd popeth yn wahanol heddiw.

calon – *heart*	**curo** – *to beat*
colli – *to miss, to lose*	**cyn** – *before*
drych – *mirror*	**bwgan brain** – *scarecrow*
molchi – *to wash oneself*	**diolch byth**! – *thank goodness!*

Aeth Elfed at ei wardrob, **gwisgo** yn gyflym a chau ei esgidiau yn **flêr**.

'Dw i'n medru cau'r esgidiau ar y bws,' dwedodd Elfed. Roedd Gareth yn arfer cau ei esgidiau yn y bws ysgol bob bore.

Roedd bag gwaith Elfed ger y drws ffrynt **ers** nos Wener. Mi wnaeth o godi'r bag. Wrth glywed y drws yn cau, mi wnaeth hi ddechrau bwrw glaw.

'Dw i ddim yn medru mynd yn ôl am gôt law ac ymbarél,' dwedodd, 'dw i'n hwyr!'

Y bws! Dechreuodd redeg. Roedd hi'n bwrw glaw yn drwm erbyn hyn, ac roedd y glaw yn **sboncio** ar y **palmant**.

Fel arfer, roedd ciw o bobol yn aros am y bws. Ond dim heddiw, diolch byth. Aeth i mewn i'r **adeilad** bach plastig ac eistedd ar sêt fach blastig, sych, i aros.

'Dw i'n gorfod ffonio Sylvia Jenkins pan dw i'n cyrraedd y swyddfa,' dwedodd Elfed. 'Dw i'n gorfod deud sori, roedd yna broblem efo'r cloc larwm...'

Ond roedd o wedi colli'r **cyfle.** Roedd o'n siŵr. Roedd Sylvia Jenkins yn mynd i ffonio rhywun arall.

Yna, daeth hen ddyn bach am dro efo'r ci. Roedd y ci'n gwisgo côt law felyn, ac yn edrych yn sych.

'Dach chi wedi codi'n gynnar!' dwedodd yr hen ddyn yn glên.

gwisgo – *to wear, to dress*	**blêr** – *untidy*
ers – *since*	**sboncio** – *to bounce*
palmant – *pavement*	**adeilad** – *building*
cyfle – *chance*	

'Yn gynnar?' dwedodd Elfed. Roedd yr hen ddyn yn siarad yn wirion.

'Mae hi'n saith o'r gloch ar fore dydd Sul!' dwedodd yr hen ddyn eto. 'A dan ni wedi **troi'r awr yn ôl**! Dach chi'n cofio? Mae Mot a fi wedi cael awr arall yn y gwely bore 'ma!'

Aeth yr hen ddyn a'r ci i lawr y stryd, yn chwerthin.

Ac yna, ar ôl tua munud, mi wnaeth Elfed ddechrau chwerthin hefyd, yn eistedd ar y sêt blastig yn aros am fws ar fore dydd Sul gwlyb.

'Diolch byth!' dwedodd Elfed. 'Diolch byth!'

---

troi'r awr yn ôl – *turn back the hour*

5

ANNWYL SIÔN

Nos Lun. Dyma'r dosbarth *Dysgu Cymraeg* **olaf** ym **mis Rhagfyr** ac mae Elin, y tiwtor, yn adolygu.

Mae hi'n ysgrifennu ar y bwrdd gwyn.

Caru. **Casáu**.

Yna, mae hi'n dweud, 'Dw i'n caru eira ond dw i'n casáu glaw.'

Mae hi'n edrych ar Liz ac yn gofyn, 'Liz, wyt ti'n casáu glaw?'

Mae Liz yn ateb, ''Na. Dw i'n... mmm... beth ydy *needles* yn Gymraeg?'

'**Nodwyddau**,' atebodd Elin.

'Dw i'n casáu nodwyddau!'

'A! Felly dim nyrs wyt ti, Liz!'

'Na! Dim nyrs! Dw i'n gweithio mewn ffatri. Ond mae Siôn yn nyrs.'

Mae Liz yn dysgu Cymraeg **achos** mae Liz eisiau babi ac mae hi a Siôn eisiau siarad Cymraeg gyda'r babi newydd.

Mae Elin yn gofyn i bawb ddweud, 'Dw i'n caru...' a 'Dw i'n casáu...'. Yna, mae hi'n ysgrifennu ar y bwrdd gwyn:

annwyl – *dear*	**olaf** – *last*
mis – *month*	**Rhagfyr** – *December*
caru – *to love*	**casáu** – *to hate*
nodwydd(au) – *needle(s)*	**achos** – *because*

Y **TO** BACH – â, ê, î, ô, û, ŵ, ŷ

Mae hi'n edrych ar y dosbarth ac yn dweud, 'Mae to **ar ben** tŷ ond dim ar ben to.'

Yna, mae hi'n dawnsio ac yn gwneud rap, 'Mae to ar ben tŷ ond dim ar ben to!'

Mae pawb yn y dosbarth yn edrych ar Elin. Ond yna, mae pawb yn **sefyll** ac yn dawnsio ac yn rapio, 'Mae to ar ben tŷ ond dim ar ben to!'

Mae Elin yn hoffi gwneud drama a **mynd dros ben llestri** yn y dosbarth Cymraeg, ond mae pawb yn joio.

Ar y **diwedd**, mae Elin yn dweud, 'Gwaith cartref!'

'Yn **gyntaf**, edrychwch yn y geiriadur am y to bach. Geiriau fel cân, trên, dŵr, gŵr…'

'A Siôn!' dwedodd Liz.

'Ie! A Siôn,' atebodd Elin. 'Ond dim pob Sion!'

'OOOOO!' dwedodd Josh. 'Typical! There's always an "ond"!'

Mae Elin yn edrych ar Josh a dweud, 'Josh! **Dal ati!**'

'Yna,' dwedodd Elin, 'ysgrifennwch **restr** siopa: *Cinio Nadolig*. Ac yn olaf…'

'OOOOO!' dwedodd Josh eto.

to – *circumflex accent (literally: roof)*

ar ben – *on top of*

sefyll – *to stand*

mynd dros ben llestri – *to go 'over the top' (literally: to go over the dishes)*

diwedd – *end*

cyntaf – *first*

Dal ati! – *Keep at it!*

rhestr – *list*

'Wel, **OS** dych chi eisiau,' dwedodd Elin, 'ysgrifennwch **lythyr** at **Siôn Corn**.'

★

Mae Liz yn hapus iawn. Dyma'r Nadolig cyntaf gyda Siôn. Mae Siôn yn dod o Abertawe ac mae Liz yn dod o Aberdeen. Mae Siôn yn siarad Cymraeg. Ond dyw Siôn ddim yn athro da. Weithiau mae e'n siarad Saesneg gyda Liz ac mae Liz yn dweud, 'Siôn! Dal ati!'

★

Hedfanodd yr amser. Hedfanodd yr wythnos. Hedfanodd y dyddiau o ddydd Mawrth i ddydd Mercher, Iau, Gwener. Daeth y penwythnos! Cofiodd Liz **yn sydyn**! Y gwaith cartref!

Ond ble mae'r llyfr *Dysgu Cymraeg*?

Dyw Liz ddim yn cofio.

Dyw'r llyfr ddim yn y bag.

Dyw'r llyfr ddim ar y bwrdd.

Stopiodd Liz a **meddwl**.

'Mmmm. Llythyr at Siôn Corn?'

'Ie! Llythyr at Siôn Corn, dw i'n meddwl.' A dechreuodd ysgrifennu: Annwyl Siôn...

Na. Meddyliodd eto. Rhestr siopa cinio Nadolig?

os – *if*	**llythyr** – *letter*
Siôn Corn – *Father Christmas*	**hedfan** – *to fly*
yn sydyn – *suddenly*	**meddwl** – *to think*

Mae Liz yn CARU cinio Nadolig. Y twrci, y **pannas**, y moron, y **selsig** bach, y stwffin…

Ond ei **hoff** fwyd hi yw tatws!

Mae hi'n hoffi tatws newydd, tatws sglodion, tatws rhost, tatws wedi **berwi**, **tatws stwnsh**. Tatws. Tatws. Tatws.

A'r gair nesaf ysgrifennodd ar y papur? TATWS!

'Ond na,' meddyliodd eto. 'Mae gwaith cartref arall! Y geiriau efo to bach!'

Suddodd calon Liz.

'Wel, mae to bach ar Siôn. Ond beth am "tatws"? To bach ar tatws? **Siŵr o fod**!' meddyliodd.

'OOOOO!' meddyliodd Liz am Josh, ac ysgrifennodd 'Dal ati!'.

Mae Liz wedi blino…

'Fory!' dwedodd. 'Dw i'n mynd i ysgrifennu popeth bore fory.'

Ac aeth hi i'r gwely.

*

Mae Siôn yn gweithio yn yr ysbyty. Mae e'n gweithio gyda'r nos. Mae e'n dod adre yn hwyr.

Agorodd Siôn y drws.

'Helô?!' dwedodd e.

pannas – *parsnips*	**selsig** – *sausages*
hoff – *favourite*	**berwi** – *to boil*
tatws stwnsh – *mashed potatoes*	**suddo** – *to sink*
siŵr o fod – *probably*	

Ond mae Liz yn cysgu.

Edrychodd e ar y bwrdd. Gwelodd e'r papur.

Annwyl Siôn
Dw i'n caru tatŵs.
'Dal ati!'

A-ha! Wel, wel, wel! Ac yna cafodd Siôn **syniad**. Syniad bendigedig!

★

Bore dydd Mawrth ac aeth Siôn at y ffôn.

'Bore da. Piercings Pontiago! Dyma Paul.'

'Bore da, Paul! Dych chi'n gallu gwneud **tatŵ** Cymraeg?' gofynnodd Siôn.

'Tatŵ Cymraeg?! Wrth gwrs! 'Dyn ni'n gallu gwneud tatŵs Cymraeg!'

'Da iawn! Bendigedig!' atebodd Siôn. 'Ga i **apwyntiad** os gwelwch yn dda?'

'Wrth gwrs! Pryd?'

'Wel, apwyntiad syrpréis. Apwyntiad **anrheg** Nadolig i Liz, **fy ngwraig**. Mae Liz eisiau tatŵ yn dweud "Dal ati!".'

'Bendigedig. Tatŵ yn dweud "Dal ati!". Dim problem!'

'Diolch yn fawr iawn!'

syniad – *idea*	**tatŵ** – *tattoo*
apwyntiad – *appointment*	**anrheg** – *present*
fy ngwraig – *my wife*	

'Croeso! Rhywbeth arall?'

'Y **pris**?'

'Mmmm, ga i weld... Tatŵ "Dal ati"... efo **llun**?'

'Syniad da! Llun bach o **ddraig** goch!'

'Tatŵ "Dal ati" efo llun bach o ddraig goch... Y pris ydy... £200.'

£200!!

'O wel, mae Liz yn sbesial. Popeth yn iawn!' dwedodd Siôn.

'Bendigedig!' atebodd Paul. 'Apwyntiad pump o'r gloch, **Noswyl Nadolig** gyda Josh. Mae e'n artist da iawn.'

'Diolch yn fawr,' atebodd Siôn.

★

Noswyl Nadolig ac mae Siôn yn **edrych ymlaen at** bump o'r gloch! Mae e a Liz yn mynd i'r dref. Ond dyw Liz ddim yn gwybod pam.

Daeth Siôn adre'n gynnar a dweud, 'Helô, Liz! Heno, rwyt ti'n mynd i gael syrpréis!'

Mae Liz yn caru syrpréis. 'O! Hwrê!' dwedodd. 'Diolch yn fawr, Siôn!'

Parciodd Siôn y car yn y dref a dwedodd wrth Liz, 'Cau **llygaid**!'

Cerddodd Siôn a Liz i siop Piercings Pontiago.

pris – *cost*	**llun** – *picture*
draig – *dragon*	**Noswyl Nadolig** – *Christmas Eve*
edrych ymlaen at – *to look forward to*	
llygad (llygaid) – *eye(s)*	

Agorodd Josh y drws.

'SHHH!' dwedodd Siôn.

Eisteddodd Liz.

Estynnodd Josh y nodwydd i wneud y tatŵ.

'Plis ga i agor llygaid nawr?' gofynnodd Liz. 'Plis, plis?'

'Iawn...' dwedodd Siôn.

Yna, gwelodd Liz y nodwydd hir, hir.

'NODWYDD!!!!' **Sgrechiodd** Liz a rhedeg allan o'r siop i'r stryd.

'Bechod!' dwedodd Josh. 'Mae hi'n casáu nodwyddau!'

'Beth?' gofynnodd Siôn. 'Pwy wyt ti?! A sut wyt ti'n gwybod?!'

*

Dydd Nadolig. Mae'n amser brecwast ac mae Liz a Siôn yn edrych ar y goeden Nadolig.

'Amser agor anrhegion?' gofynnodd Siôn.

'Dw i ddim yn siŵr!' atebodd Liz. 'Dw i ddim eisiau nodwydd arall!'

Mae'r ddau yn **chwerthin**.

Yna, mae Liz yn gweld anrheg **ENFAWR.**

'Waw! I fi?' mae Liz yn gofyn.

'Ie, i ti!'

Mae Liz yn edrych ar y label, 'I Liz, "Dal ati!" **oddi wrth** Siôn, Siôn Corn... a Josh.'

eistedd – *to sit*	**estyn** – *to reach for*
sgrechian – *to scream*	**chwerthin** – *to laugh*
enfawr – *enormous*	**oddi wrth** – *from*

Mae hi'n agor yr anrheg.

Dych chi'n gallu **dyfalu** beth yw'r anrheg?

Ie! **Llond sach** o datws!

'Dyna'r anrheg **orau erioed**!' dwedodd Liz yn hapus.

A dwedodd Siôn, 'Pwysig: mae to ar ben tatŵ ond dim ar ben tatws!'

dyfalu – *to guess*	**llond** – *full*
sach – *sack*	**gorau** – *best*
erioed – *ever*	

6

MARATHON

Chwefror

Connie: Helô.

Hanna: …

C: Helô?!

H: Haia. Sori. **Prysur**. #plantbach yn y tŷ. Ti'n gwybod… ☺

C: Dw i'n gwybod. #plantmawr yn y tŷ. ☺

H: Sut wyt ti?

C: Grêt.

H: Hmmm. Grêt, grêt? Neu ddim yn grêt?

C: Ddim yn grêt.

H: Ti eisiau hobi.

C: **Paragleidio**, dyma fi!

H: Dw i'n hoffi rhedeg.

C: Dw i'n hoffi coffi… ar y soffa.

H: Coffi a…

C: Wel, a gwin ar nos Wener.

H: Un gwin?

C: Ti'n gwybod beth maen nhw'n dweud – un gwin **ar y tro**…

Chwefror – *February*	**prysur** – *busy*
paragleidio – *to paraglide*	**ar y tro** – *at a time*

Mawrth

C: Gwelais i'r doctor heddiw.

H: Sut oedd hi?

C: O, roedd *hi'n* iawn.

H: A sut wyt ti?

C: Mae gen i annwyd, a dw i'n mynd yn hen!

H: **Paid â dweud!**

C: Dw i'n gorfod dechrau gwneud ymarfer corff.

H: Ti eisiau mwy o **egni**.

C: Ti'n iawn. Ble mae'r siocled?

Ebrill

H: **Newyddion** da!

C: **Cyfnod clo** yn gorffen?

H: Na, ond mae Soffa i 5K yn dechrau – cadw **pellter cymdeithasol**, wrth gwrs.

C: Wrth gwrs.

H: …

C: A'r newyddion da?

H: Ha, ha. 😆

C: Ha. 😆

H: Mae Soffa i 5K am 6pm nos Iau.

C: O na, dw i'n brysur nos Iau.

Mawrth – *March*	**paid â dweud!** – *you don't say!*
egni – *energy*	**Ebrill** – *April*
newyddion – *news*	**cyfnod clo** – *lockdown*
pellter cymdeithasol – *social distance*	

H: Tyff! Mae enw Connie May **i lawr**. Connie May, Soffa i 5K, 6pm nos Iau.

C: Diolch yn fawr, ffrind!!

H: Ffrind a chwaer.

C: ☺

Mai

H: Ble wyt ti?

C: Siopa.

H: Siopa bwyd? Ga i Pringles plis? A hwmws… *full fat*!

C: Dw i yn y siop chwaraeon.

H: O, pam? Ydy Lidl **ar gau**?

C: Dw i'n prynu trainers. Dw i'n mynd i redeg.

H: Da iawn ti!

C: Mae **pob math** o drainers – pêl-droed… ioga… cerdded… trainers aros adre yn gwylio Netflix…

H: A trainers rhedeg?

C: Ie, a trainers rhedeg, wrth gwrs.

H: Gwych. Ti'n **barod**, 'te?

C: Ydw! Ond ydyn *nhw*'n barod?

★

H: Wel?

C: Wel beth?

i lawr – *down*	**Mai** – *May*
ar gau – *closed*	**pob math** – *all sorts*
barod – *ready*	

H: Rwyt ti **yn fyw**.
C: Ha, ha. 😆
H: Sut aeth y 5K?
C: Y *Soffa i* 5K.
H: Ie, ie. Sut aeth e?
C: Mmm…
H: A?
C: Wel…
H: Ie…
C: Es i yno…
H: Ie, dechrau da iawn.
C: Roedd llawer o bobl yno.
H: Da.
C: Ond gwelais i fenyw yn gwisgo crys T.
H: Ie?
C: Crys T 10K.
H: O, na!
C: O, ie. Gofynnodd hi – ti'n rhedeg **rasys** 10K?
H: Ha, ha! Beth ddwedaist ti?
C: Ddwedais i – na, **dim eto**.
H: Dim eto…? Ti'n mynd wythnos nesa?
C: ☺

yn fyw – *to be alive*	**ras(ys)** – *race(s)*
dim eto – *not yet*	

Mehefin

H: Sut wyt ti?

C: Ofnadwy. **Ar ôl** y... sesiwn... redeg. Rhedais i am 30 **eiliad heb** stopio.

H: Redaist *ti* am 30 eiliad *heb* stopio?

C: Roedd e'n galed... yn galed iawn.

H: Rwyt ti'n **ddewr**.

C: Maen nhw eisiau **rhedwyr fel** fi.

H: Ydyn nhw?

C: Ydyn – dw i'n gwneud i'r rhedwyr craill edrych yn dda.

Gorffennaf

H: Beth am redeg mwy?

C: Mwy? Pam?

H: **Pam lai?** Rwyt ti'n gallu cael app a rhedeg gyda rhywun enwog.

C: Matthew Rhys...

H: Matthew Rhys, y rhedwr enwog? ☺

C: Mae e'n edrych yn ffit iawn.

H: Nawr, nawr. Ti'n wraig ac yn fam. A dyw Matthew Rhys ddim ar gael.

C: O, na!

H: Beth am rywun arall?

Mehefin – *June*	**ar ôl** – *after*
eiliad – *second*	**heb** – *without*
dewr – *brave*	**rhedwr (rhedwyr)** – *runner(s)*
fel – *like*	**Gorffennaf** – *July*
pam lai? – *why not?*	

C: Pwy?

H: Michael Johnson, y **pencampwr Olympaidd**… neu Sarah Millican, y **gomedïwraig**.

C: Ie, Sarah Millican.

Awst

C: Wyt ti'n **eistedd**?

H: Eistedd? Dw i'n fam. Dw i ddim yn cael amser i eistedd.

C: Es i i redeg. **Ar fy mhen fy hun**.

H: Beth? Aros funud…

C: Ble ti'n mynd? #plant bach? Tedi yn y toiled? Eto.

H: Dw i'n mynd i edrych ar y calendr. Ydy hi'n Ebrill y 1af?

C: Dw i'n dweud y gwir. Es i ar fy mhen fy hun!

H: Da iawn ti!

C: Wnes i fwynhau.

H: Wyt ti'n iawn?

C: Ydw. Pam?

H: Ddwedaist ti – wnes i fwynhau rhedeg.

C: Do. Mae rhedeg yn grêt!

H: Wel, wel, Paula Radcliffe!

---

pencampwr Olympaidd – *Olympic champion*

comedïwraig – *comedienne* **Awst** – *August*

eistedd – *to sit*

ar fy mhen fy hun – *on my own (literally: on my own head)*

Medi

H: Mae'n **boeth**!

C: Mae'n boeth fel haf!

H: Mae'n boeth i redeg.

C: Dw i eisiau prynu siorts.

H: Wyt ti'n **gwisgo** bra da?

C: Ydw.

H: Ar ôl rhedeg dw i'n bwyta cacen bob tro. Ha, ha! Jôc! Dw i'n bwyta cacen… ond dw i ddim yn rhedeg.

Hydref

H: Ble wyt ti?

C: Mas yn rhedeg.

H: Ti'n rhedeg nawr? Ac yn tecstio?

C: Ydw, dw i'n rhedeg nawr.

H: Gyda Michael Johnson?

C: Na, na. Gyda Mo Farah heddiw.

H: Ti'n **haeddu** gwin mawr heno.

C: Dim gwin i fi. Dw i'n **ymarfer** – *#intraining*.

Tachwedd

C: Rhedais i 5K!

H: Waw, da iawn.

C: Y 5K cynta.

Medi – *September*	**poeth** – *hot*
gwisgo – *to wear, to dress*	**Hydref** – *October*
haeddu – *to deserve*	**ymarfer** – *to practise*
Tachwedd – *November*	

H: Ond dwyt ti ddim yn hoffi siarad am **hynny**.

C: Dwedais i wrth #plantmawr yn **gyffrous**: Rhedais i 5K. Dwedodd #plantmawr ddim yn gyffrous: Ti'n goch iawn, yn goch fel **tân**.

H: Rwyt ti ar dân!

Rhagfyr

H: Dyma dy **restr** Nadolig di? 😆

C: Ie, wrth gwrs.

H: Dyma dy restr Nadolig di **llynedd**:

Llyfr Cymraeg

Siocled

Prosecco

Heddwch.

Dyma dy restr di nawr:

Bandana rhedeg

Tortsh rhedeg

Bag rhedeg

Ymmm, wyt ti'n hoffi rhedeg?!

C: Ydw. Wyt ti?

H: Na. Dw i'n clapio pawb sy'n rhedeg!

hynny – *that*	**cyffrous** – *excited*
tân – *fire*	**Rhagfyr** – *December*
rhestr – *list*	**llynedd** – *last year*
heddwch – *peace*	

Ionawr

C: Connie May dw i a dw i'n rhedeg.

H: Dw i'n gwybod.

C: Ti'n gwybod popeth **amdana i**.

H: Ydw, chwaer fawr. Ymmm, wyt ti'n mynd i redeg marathon?

C: Mae #plantmawr yn *impressed.*

H: *No way!*

C: *Way*. Un broblem… Maen nhw eisiau rhedeg gyda fi… Dw i eisiau gweld ti, Hanna…

H: Mae'r amser yn **hir**.

C: Ffrindiau o **bell**. Dw i'n gallu rhedeg i weld ti?

H: O Aber i Gaerdydd?! Un **cam** ar y tro!

C:

Ionawr – *January*	**amdana i** – *about me*
hir – *long*	**pell** – *far, distance*
cam – *step*	

GEIRFA

adeilad – *building*
achos – *because*
agos – *near*
Amasonaidd – *Amazonian*
amdana i – *about me*
annwyl – *dear*
anrheg – *present*
antur – *adventure*
apwyntiad – *appointment*
ar ben – *on top of*
ar dy draed – *on your feet*
ar fy mhen fy hun – *on my own (literally: on my own head)*
ar gau – *closed*
ar ôl – *after*
ar y tro – *at a time*
archeb(ion) – *order(s)*
asesiad – *assessment*
awdur – *author*
Awst – *August*

barod – *ready*
berwi – *to boil*
blêr – *untidy*
breuddwyd – *a dream*
bwgan brain – *scarecrow*
bwydlen – *menu*
byth – *never*
bywyd – *life*

calon – *heart*
cam – *step*
campfa – *gym*
caru – *to love*
casáu – *to hate*
cawod – *shower*
cês – *suitcase*
cloc larwm – *alarm clock*
colli – *to miss, to lose*
comedïwraig – *comedienne*
crio – *to cry*
curo – *to beat*
cwrdd – *to meet*
cwympo – *to fall*
cyfle – *chance*
cyfnod clo – *lockdown*
cyffrous – *excited*
cyn – *before*
cyntaf – *first*

chwedlonol – *legendary*
Chwefror – *February*
chwerthin – *to laugh*

Dal ati! – *Keep at it!*
darn – *piece*
dewr – *brave*
dim eto – *not yet*
dim ond – *only*
dim ots – *doesn't matter*
diolch byth! – *thank goodness!*
diwedd – *end*
draig – *dragon*
drych – *mirror*
dyfalu – *to guess*

Ebrill – *April*
edrych ymlaen – *to look forward*
egni – *energy*
eiliad – *second*
eistedd – *to sit*
enfawr – *enormous*
erbyn hyn – *by now*
erioed – *ever*
ers – *since*
estyn – *to reach for*

fel – *like*

ffrae – *a quarrel*

gardd – *garden*
ger – *by*
gobeithio – *to hope*
golygus – *handsome*
gorau – *best*
Gorffennaf – *July*
gwenu – *to smile*
gwisgo – *to wear, to dress*
gwneud dy orau glas – *to do your very best (literally: to do your blue best)*
gwraig (fy ngwraig) – *(my) wife*
gwyllt – *wild*
gwydr(au) – *glass(es)*

haeddu – *to deserve*
heb – *without*
hedfan – *to fly*
heddwch – *peace*
hir – *long*
hoff – *favourite*
Hydref – *October*
hynny – *that*

i fyny – *up*
i lawr – *down*
iach – *healthy*
iechyd – *health*
ifanc – *young*
Ionawr – *January*

lôn – *lane*
lordio hi – *to swan about, to lord it*
lwcus – *lucky*

llais – *voice*
llawer – *a lot*
llond – *full*
llun – *picture*
llygad (llygaid) – *eye(s)*
llynedd – *last year*
llythyr – *letter*

madarch – *mushrooms*
Mai – *May*
maint – *size*
Mawrth – *March*
Medi – *September*
meddwl – *to think*
meddwl am – *to think about*
Mehefin – *June*
menyw – *woman*
mis – *month*
molchi – *to wash oneself*
mynd dros ben llestri – *to go 'over the top' (literally: to go over the dishes)*
mynd i'r diawl! – *to go to hell! (literally: to go to the devil!)*

nerfus – *nervous*
newyddion – *news*
nodwydd(au) – *needle(s)*
Noswyl Nadolig – *Christmas Eve*

oddi wrth – *from*
olaf – *last*
os – *if*

palmant – *pavement*
pam lai? – *why not?*
pannas – *parsnips*
paid â dweud! – *you don't say!*
paragleidio – *to paraglide*
pedlo – *to pedal*
pell – *far, distance*
pellter cymdeithasol – *social distance*
pencampwr Olympaidd – *Olympic champion*
perffaith – *perfect*
pilio – *to peel*
pob math – *all sorts*
pobl – *people*
poeni – *to worry*
poeth – *hot*
popty – *oven*
potel – *bottle*
pris – *cost*
prysur – *busy*
pwysau gwaed – *blood pressure*

ras(ys) – *race(s)*
roedd – *he was*

Rhagfyr – *December*
rhedwr (rhedwyr) – *runner(s)*
rhegi – *to swear*
rhestr – *list*

sach – *sack*
sboncio – *to bounce*
sedd – *seat*
sefyll – *to stand*
sengl – *single*
selsig – *sausages*
sêr ffilm – *film stars*
sgrechian – *to scream*
sgrin – *screen*
silff ben tân – *mantlepiece*
siomi – *to disappoint*
Siôn Corn – *Father Christmas*
siŵr o fod – *probably*
sownd – *stuck*
stêm – *steam*
suddo – *to sink*
syniad – *idea*

Tachwedd – *November*
tân – *fire*
tatŵ – *tattoo*
tatws stwnsh – *mashed potatoes*
to – *circumflex accent (literally: roof)*
trefnu – *to arrange*
trio – *to try*
troi – *to turn*
troi'r awr yn ôl – *turn back the hour*

wrth – *by*
wrth yr un ddesg – *at the same desk*

ymarfer – *to practise*
yn fyw – *to be alive*
yn sydyn – *suddenly*
yna – *then*
ypsét – *to be upset*
ystafell – *room*